雪嶽霧山·寂光智慧 詩畵一律集

말한 바 없이 말하고 들은 바 없이 듣다

無說說不聞聞

인북스

시화일률집을 펴내며

먼 산에 눈 녹고 앞뜰에 꽃망울 맺히니 새봄이다. 얼었던 어성천이 풀리고 버들개지는 움을 틔운 지 오래됐다. 이맘때쯤이면 무문관에서 해제를 하고 나온 무산 사형님이 늘 전화로 안부를 물어오곤 했다.

"내다. 잘 지냈나. 몸은 우떻고? 벨일 없으믄 됐다. 중은 벨일 없어야 도인이다."

사형님은 늘 그랬다. 종문의 큰 어른임에도 병약하거나 못난 사람일수록 끔찍하게 챙겼다. '아래가 먼저 안부를 물어야 하는데……' 하고 송구스러워하면 '니는 참중이고 내는 가짜중 아이가' 하며 무안까지 덮어주셨다. 가끔은 선정 중에 쓴 게송을 들려주기도 했다. 그리고는 당신이 쓴 시에 내게는 그림을 그려 넣으라고 했다. 혹시라도 머뭇머뭇하면 예의 바람 소리 같은 목소리로 혼을 냈다.

"천지만물이 시 아닌 게 어디 있고, 삼라만상 중 그림 아닌 게 어디 있노?"

일심정진을 게을리하지 말라는 경책이었다. 그런데 올해는 그 다정한 전화를 받지 못했다. 내가 먼저 전화를 해야지, 하고 전화를 드려도 받지 않으신다. 사형님은 지금 어디에 계신가.

못 뵈온 지 벌써 5년째다. 사방을 둘러보니 조금씩 잎이 푸르고 따뜻한 바람이 얼굴을 스친다. 늦었지만 나도 안부를 올려야지, 이런 발심으로 그동안 읽은 사형님의 시에 내가 그린 그림을 짝 지워 시화일률집(詩畵一律集)을 엮는다.

설악산 신흥사에서

주지 **적광지혜** 합장

3

붓 가는 대로

이 글은 설악무산 스님께서 쓰신 적광지혜 제3화집
《대나무 그림자로 달빛을 쓸며》의 발문이다.

산승은 솔직히 말해 그림을 잘 모른다. 그러나 지혜 스님의 그림을 대하면 온몸이 흔들리는 전율을 느낀다. 산승이 칠십 평생을 살아오면서 보고[見] 듣고[聞] 깨닫고[覺] 안다[知]는 것이 얼마나 허망한 것인가를 뼈저리게 절감한다.

언제부터인가 절집 부근에 가면 선시(禪詩)니, 선서(禪書)니, 선화(禪畵)니 하는 작품들을 쉽게 만나게 된다. 하지만 스님이 지었다고 다 선시가 되고, 스님이 썼다고 다 선서가 되고, 스님이 그렸다고 해서 다 선화가 되는 것은 아니다. 오히려 《종용록(從容錄)》에서 말하는 일장마라(一場懡㦬), 즉 부끄러운 한 장면, 한바탕 웃음거리가 되는 경우가 더 많다.

그 유명한 《임제록》에 무문채인(無文綵印)이란 선어(禪語)가 있다. 무문채인은 '글발 없는 인장'이라는 뜻으로 선법(禪法)의 뜻을 세 가지 도장 찍는 것에 비유한 말이다. 즉 진흙에 도장을 찍으면 그 무늬가 남아 있는 것처럼 아직 의리가 남아 있다 하여 의리선(義理禪)이라 한다. 그러나 그 의리와 이치의 길은 끊어졌지만 그 끊었다는 생각이 붙어 있으면 구경의 선은 아니다. 그것은 마치 물에 도장을 찍는 것과 같다 하여 여래선(如來禪)이라 한다. 이에 비해 참된 구경의 선은 끊었다는 생각도 없고 무애자재로 일체에 걸림이 없다. 그것은 허공에 도장을 찍는 것과 같다 하여 이를 조사선(祖師禪)이라 하고 무문채인이라고도 하는 것이다.

사실 선의 요체는 현묘불가사의하여 전제불기(全提不起) 일자불설(一字不說)이다. 그런데도 불구하고 선 이야기를 지상가상없이 장황하게 늘어놓은 것은 우리가 진실로 선시니, 선서니, 선화라고 하면 조사선의 무문채인 세계여야 한다는 것을 거듭거듭 되풀이하여 강조하기 위해서다. 이런 점에서 보면 우리 지혜 스님의 시·서·화는 그야말로 구경의 선인 무문채인의 경지를 보여주는 작품이라 할 수 있다.

한마디로 말해 지혜 스님의 작품에는 그 어떤 인위적인 작태가 없다. 천연(天然) 그대로이다. 마치 허공에 도장을 찍은 것처럼 어떤 흔적이 없다. 혹시 있다면 오직 불범봉망(不犯鋒鋩)의 기용이 있다 할 것이다. 전기독로(全機獨露)한 해탈의 모습만을 나타내고 있다할 것이다. 무심히 그린 풀 한 포기, 나무 한 그루, 심지어 비스듬히 놓인 돌덩이 그 하나에도 생동하는 숨결이 감지되는 것이 지혜 스님의 작품이다. 산승이 앞에서 지혜 스님의작품을 대하면 온몸이 흔들리는 전율을 느낀다고 말한 것은 이러한 느낌 때문이다.

사실 지혜 스님의 작품은 우리가 사량(思量)하려야 다 사량할 수 없고 증득(證得)하려야 다 증득할 수 없다. 왜냐하면 스님의 작품은 그 모두가 무문채인의 경지에서 나온 것들이기 때문이다. 이러한 산승의 주장이 과장이 아니라는 것을 스님의 삶이, 스님의 작품이잘 증명해주고 있다.

돌이켜 생각하면 지혜 스님의 삶은 반(半)은 눈물이요, 반은 비원(悲願)이다. 철부지 때삭발염의하여 발족초방(發足超方)으로 명사(明師)를 찾아 이력(履歷)의 종장(宗匠)이 되었고, 이력 종장이 되어 또다시 발초참현(撥草參玄)하여 선관(禪關)을 투탈하였으니 그간의 고통을 어찌 말로 다 할 수 있으리요. 그래서 산승은 누가 지혜 스님이 어떤 스님이냐고 물으면 주저 없이 일촉파삼관(一鏃破三關)한 일개간화인(一箇看話人)이라고 대답한다. 일촉파삼관이라는 말은 선이라는 붓 한 자루로 시(詩)의 관문, 서(書)의 관문, 화(畵)의 관문을 한꺼번에 투탈한 선장(禪匠)이라는 의미이고, 일개간화인이라는 것은 그처럼대오(大悟)했으므로 세상 밖에 내놓을 말도 좀 있는, 진리를 바르게 말할 수 있는 총림의방주(房主)쯤 되는 출격장부라는 뜻이 담겨 있다.

그렇다. 종문(宗門) 최고의 선서(禪書)로 일컬어지는 《벽암록》에 등장하는 선장들이 선을 설할 때 주장자 그 하나로 불권방할(拂拳棒喝)하고 가불매조(呵佛罵祖)하듯, 지혜 스님은 붓 한 자루로 앉아서 천하 사람의 허를 자르고[坐斷天下人舌頭], 천하 사람의 코를 꿰었다[穿天下人鼻孔] 할 것이다.

옛사람들이 불수일진(不受一塵) 불사일법(不捨一法)이라 했듯이 이제 지혜 스님의 오경(悟境)에는 꺼려야 할 미계(迷界)도 없고 또 보리(菩提)로써 구해야 할 것도 없다. 그냥 오늘 모습 그대로! 먹어도 먹어도 다함이 없는 불미조미(佛味祖味) 일미(一味) 그대로! 일화개세계기(一花開世界起) 그대로! 붓 가는 대로다.

작가종장(作家宗匠)이여, 지혜 스님이여. 이제 우리가 할 일이 있다면 서로가 마주 보고 허공이 찢어지게 한바탕 너털웃음을 터뜨릴 일이 아니겠는가. 그 밖에 무슨 일이 또 있겠는가.

산승은 청허 대사의 〈자락가(自樂歌)〉를 읊조리는 것으로 붓을 놓고 통곡한다.

머무니 여여(如如)하고 행하는 서서(徐徐)하다.
우러러 웃고 굽어보며 탄식한다.
나고 드는 데 문이 없거니
천지가 하나의 나그네다.

2005년
설악산문 조실
무산오현

7

차 례

무산대종사, 스승인 성준선사께서
어느날 보리달마는 왜 수염이 없는가라고
물으셨다

무산종사께서 답하시길,
서역다위도 쳐다보지않고, 그오런 화적질로
독살림을 하단지기 이세상 파장매리에 한물건을 써놓았네

전광지혜

아득한 성자

하루라는 오늘
오늘이라는 이 하루에

뜨는 해도 다 보고
지는 해도 다 보았다고

더 이상 더 볼 것 없다고
알 까고 죽은 하루살이 떼

죽을 때가 지났는데도
나는 살아 있지만
그 어느 날 그 하루도 산 것 같지 않고 보면

천년을 산다고 해도
성자는
아득한 하루살이 떼

허수아비

새떼가 날아가도 손 흔들어주고
사람이 지나가도 손 흔들어주고
남의 논일을 하면서 웃고 있는 허수아비

풍년이 드는 해나 흉년이 드는 해나
— 논두렁 밟고 서면 —
내 것이거나 남의 것이거나
— 가을 들 바라보면 —
가진 것 하나 없어도 나도 웃는 허수아비

사람들은 날더러 허수아비라 말하지만
저 멀리 바라보고 두 팔 쫙 벌리면
모든 것 하늘까지도 한 발 안에 다 들어오는 것을

18

아지랑이

나아갈 길이 없다 물러설 길도 없다
둘러봐야 사방은 허공 끝없는 낭떠러지
우습다
내 평생 헤매어 찾아온 것이 절벽이라니

끝내 삶도 죽음도 내던져야 할 이 절벽에
마냥 어지러이 떠다니는 아지랑이들
우습다
내 평생 붙잡고 살아온 것이 아지랑이더란 말이냐

산에 사는 날에

나이는 뉘엿뉘엿한 해가 되었고
생각도 구부러진 등골뼈로 다 드러났으니
오늘도 젖비듬히 선 등걸을 짚어본다.

그제는 한천사 한천스님을 찾아가서
무슨 재미로 사느냐고 물어보았다
말로는 말 다할 수 없으니 운판 한 번 쳐보라, 했다.

이제는 정말이지 산에 사는 날에
하루는 풀벌레로 울고 하루는 풀꽃으로 웃고
그리고 흐름을 다한 흐름이나 볼 일이다.

산일(山日)

밤늦도록 이야기했던 시우(詩友)가 돌아가면서
일흔을 살아도 산 것 같지 않다고 했다
시집을 열 권 펴내도 시 한 편이 없다고 했다.

옛사람이 말했다네 본래 다 그런 거라고
아승지겁을 살아도 본래 그 자리라고
내 말을 들었는지 못 들었는지
산모롱이를 돌아가는
시우의 걸음걸이로
휘적휘적 걸어보았다

산일 1

우리 절 밭두렁에
벼락 맞은 대추나무

무슨 죄가 많았을까
벼락 맞을 놈은 난데

오늘도 이런 생각에
하루해를 보냅니다.

산일 2

해장사 해장스님께
산일 안부를 물었더니

어제는 서별당 연못에
들오리가 놀다 가고

오늘은 산수유 그림자만
잠겨 있다, 하십니다.

28

심우(尋牛)
– 무산심우도 1

누가 내 이마에 좌우 무인(拇印)을 찍어놓고
누가 나로 하여금 수배하게 하였는가
천만금 현상으로도 찾지 못할 내 행방을.

천 개 눈으로도 볼 수 없는 화살이다.
팔이 무릎까지 닿아도 잡지 못할 화살이다.
도살장 쇠도끼 먹고 그 화살로 간 도둑이여.

견적(見跡)
― 무산심우도 2

명의(名醫), 진맥으로도 끝내 알 수 없는 도심(盜心)
그 무슨 인감도 없이 하늘까지 팔고 갔나
낭자히 흩어진 자국 음담(淫談) 속으로 음담 속으로

세상을 물장구치듯 그렇게 산 엄적(掩迹)이다
그 엄적 석녀(石女)가 지켜 외려 죽은 도산(倒産)이다.
그물을 찢고 간 고기 다시 물에 걸림이어.

견우(見牛)
− 무산심우도 3

어젯밤 그늘에 비친 고삐 벗고 선 그림자

그 무형의 그 열상(裂傷)을 초범으로 다스린다?

태어난 목숨의 빚을 아직 갚지 못했는데

하늘 위 둔석(窀穸)에서 누가 앓는 천만이다

상두꾼도 없는 상여 마을 밖을 가는 거다

어머니 사련의 아들 그 목숨의 반경(反耕)이여.

득우(得牛)
－ 무산심우도 4

삶도 올거미도 없이 코뚜레를 움켜잡고
매어둘 형법을 찾아 헤맨 걸음 몇만 보냐
죽어도 한뢰로 우는 생령이어, 강도여.

과녁을 뚫지 못하고 돌아오는 명적(鳴鏑)이다
짜릿한 감전의 아픔 복사해본 살빛이다
이 천지 돌쩌귀에 얽혀 죽지 못한 운명이어.

목우(牧牛)
- 무산심우도 5

돌도 풀도 없는 그 성부(城府)의 원야(原野)를
쟁기도 보삽도 없이 형벌처럼 다 갈았나
이제는 하늘이 울어도 외박할 줄 모르네.

마지막 이름 두 자를 날인할 하늘이다
무슨 그 측연(測鉛)으로도 잴 수 없는 바다다
다시금 반답(反畓)을 하는 섬지기의 육신이어.

38

기우귀가(騎牛歸家)

- 무산심우도 6

징 소리로 비 개이고 동천(洞天) 물소리 높던 날
한 웃음 만발하여 싣고 가는 이 소식을
그 고향 어느 가풍에 매혼(埋魂)해야 하는가.

살아온 죄적(罪迹) 속에 못 살릴 그 사구(死句)다
도매(盜賣)할 삶을 따라 달아난 그 탈구(脫句)다
그 무슨 도필(刀筆)을 잡고도 못 새길 양음각(陽陰刻)이어.

망우존인(忘牛存人)
- 무산심우도 7

과태료 백 원 있으면 침 뱉아도 좋은 세상
낚시를 그냥 삼킨들 무슨 걸림 있으리까
살아온 생각 하나도 어디로 가버렸는데……

눈감고도 갈 수 있는 이승의 칼끝이다
천만 개 칼만 벼르는 저승의 도산(刀山)이다
이·저승 다 팔아먹고 새김질하는 나날이어.

42

인우구망(人牛俱忘)

－ 무산심우도 8

히히히 호호호호 으히히히 으허허허
하하하 으하하하 으이이이 이 흐흐흐
껄껄걸 으아으아이 우후후후 후이이

약 없는 마른버짐이 온몸에 번진 거다
손으로 짚는 육갑 멍씨 박힌 전생의 눈이다
한 생각 한 방망이로 부서버린 삼천대계여

반본환원(返本還原)

─ 무산심우도 9

석녀와 살아 백정을 낳고 금리(金利) 속에 사는 뜻을
스스로 믿지를 못해 내가 나를 수감했으리
몇 겁을 간통당해도 아, 나는 아직 동진(童眞)이네.

길가의 돌사자가 내 발등을 물어
놀라 나자빠진 세상 일으킬 장수가 없어
스스로 일어나 앉아 만져보는 삶이여.

46

입전수수(入鄽垂手)
— 무산심우도 10

생선 비린내가 좋아 견대(肩帶) 차고 나온 저자

장가들어 본처는 버리고 소실을 얻어 살아볼까

나막신 그 나막신 하나 남 주고도 부자라네.

일금 삼백 원에 마누라를 팔아먹고

일금 삼백 원에 두 눈까지 빼 팔고

해 돋는 보리밭머리 밥 얻으러 가는 문둥이어, 진문둥이어.

喜光湛野人入花千樣山坪消竹田慧

48

무설설(無說說) 1

강원도 어성전 옹장이
김 영감 장롓날

상제도 복인도 없었는데요 30년 전에 죽은 그의 부인 머리 풀고 상여 잡고 곡하기를 "보이소 보이소 불길 같은 노염이라도 날 주고 가소 날 주고 가소" 했다는데요 죽은 김 영감 답하기를 "내 노염은 옹기로 옹기로 다 만들었다 다 만들었다" 했다는 소문이 있었는데요

사실은
그날 상두꾼들
소리였데요

50

무설설 2

동해안 대포
한 늙은 어부는

바다에 가면 바다
절에 가면 절이 되고

그 삶이 어디로 가나
파도라 해요.

무설설 3

외설악 천불동 계곡을
좋다는 말 하지 말라

거기 반석에 누워
하늘을 바라보다가

흐르는 반석 밑으로
물소리나 들을 일을……

54

무설설 4

내원암 무설전 벽화
누가 그렸나

황새 한 마리
눈먼 잉어를 물고

그 화공 돌아오기를
목을 꼬고 있더군요.

56

무설설 5

지난달 초이튿날 한 수좌가 와서
달마가 서쪽에서 온 뜻을 묻길래
내설악 백담 계곡에는 반석이 많다고 했다.

58

별경(別境)

받아들이고 있다. 받아들이고 있다. 가을 하늘은
밀물과 썰물 사이 너울을 부서뜨리며
그 바다 금린(金鱗)들만을 받아들이고 있다.
가을 하늘은 무슨 말로도 말할 수 없다.
가을 하늘은 무슨 말로도 말할 수 없다.
이 가을 햇볕을 일며 사태(沙汰)하는 새여, 새여

마음 머무르지 않고
— 절간 이야기 18

　일본 임제종의 다쿠안(澤庵: 1573~1645) 선사는 항상 마른 나뭇가지나 차가운 바위처럼 보여 한 젊은이가 짓궂은 생각이 들어 이쁜 창녀의 나체화를 선사 앞에 내놓으며 찬(讚)을 청하고 선사의 표정을 삐뚜름히 살피니 다쿠안 선사는 빵긋빵긋 웃으며 찬을 써내려갔습니다.

　나는 부처를 팔고
　그대는 몸을 팔고
　버들은 푸르고 꽃은 붉고……
　밤마다 물 위로 달이 지나가지만
　마음 머무르지 않고 그림자 남기지 않는도다

헛걸음
― 절간 이야기 21

한나절은 숲 속에서 새 울음소리를 듣고
반나절은 바닷가에서 해조음 소리를 듣습니다
언제쯤 내 울음소리를 내가 듣게 되겠습니까

며칠 전 해인사에 계시는 사숙님이 오셔서 "요즘 뭘 해?"
하시기에 위의 시조를 지어 보여드렸더니 "미친놈! 나는
병(病)이 다 없어진 줄 알고 왔더니 병이 더 깊었군. 언제
까지나 도(道)는 안 닦고 장구(章句) 따라 다닐 참인가? 또
헛걸음 했군!"

청개구리
– 절간 이야기 22

어느 날 아침 게으른 세수를 하고 대야의 물을 버리기 위해 담장가로 갔더니 때마침 풀섶에 앉았던 청개구리 한 마리가 화들짝 놀라 담장 높이만큼이나 폴짝 뛰어오르더니 거기 담쟁이넝쿨에 살푼 앉는가 했더니 어느 사이 미끄러지듯 잎 뒤에 바짝 엎드려 숨을 할딱거리는 것을 보고 그놈 참 신기하다 감탄을 연거푸 했지만 그놈 청개구리를 제(題)하여 시조 한 수를 지어볼려고 며칠을 끙끙거렸지만 끝내 짓지 못하였습니다 그놈 청개구리 한 마리의 삶을 이 세상 그어떤 언어로도 몇 겁(劫)을 두고 찬미할지라도 다 찬미할 수 없음을 어렴풋이나마 느꼈습니다.

설법
— 절간 이야기 24

고암 스님이 법상에 올라 주장자를 높이 들고

"세존이 어느 날 설법을 하시려고 고좌(高座)에 올랐습니다. 이때 문수보살이 설법이 시작되지도 않았는데 끝났다는 신호로 백추(白椎)를 딱 치고는 '법왕(法王)이 설하는 법을 잘보라. 법왕의 법이란 방금 본 그와 같은 것이니라.'고 했습니다. 그러자 세존도 곧 자리에서 내려오고 말았습니다."

이렇게 말을 끝내고 대중을 돌아보고는 주장자를 내려놓았습니다.

내가 나를 바라보니

무금선원에 앉아
내가 나를 바라보니

기는 벌레 한 마리
몸을 폈다 오그렸다가

온갖 것 다 갉아먹으며
배설하고
알을 슬기도 한다.

清泉石上流 旧河竹簧慧

70

비슬산(琵瑟山) 가는 길

비슬산 굽잇길을 누가 돌아가는 걸까
나무들 세월 벗고 구름 비껴 섰는 골을
푸드득 하늘 가르며 까투리가 나는 걸까

거문고 줄 아니어도 밟고 가면 운(韻) 들릴까
끊일 듯 이어진 길 이어질 듯 끊인 연(緣)을
싸락눈 매운 향기가 옷자락에 지는 걸까

절은 또 먹물 입고 눈을 감고 앉았을까
만첩첩 두루 적막(寂寞) 비워둬도 좋을 것을
지금쯤 멧새 한 마리 깃 떨구고 가는 걸까

가는 길

물은 흘러 내려오고
길은 굽어 올라가고

흰 구름 반석 위에
발 담그고 앉아본다

내 마음 허심한 골에
뻐꾸기 우는데

나는 말을 잃어버렸다

내 나이 일흔둘에 반은 빈집뿐인 산마을을 지날 때

늙은 중님, 하고 부르는 소리에 걸음을 멈추었더니 예닐
곱 아이가 감자 한 알 쥐어주고 꾸벅, 절을 하고 돌아갔다
나는 할 말을 잃어버렸다.
그 산마을 벗어나서 내가 왜 이렇게 오래 사나 했더니
그 아이에게 감자 한 알 받을 일이 남아서였다

오늘도 그 생각 속으로 무작정 걷고 있다

76

산창을 열면

화엄경 펼쳐놓고 산창을 열면

이름 모를 온갖 새들 이미 다 읽었다고

이 나무 저 나무 사이로 포롱포롱 날고……

풀잎은 풀잎으로 풀벌레는 풀벌레로

크고 작은 푸나무들 크고 작은 산들 짐승들

하늘 땅 이 모든 것들 이 모든 생명들이……

하나로 어우러지고 하나로 어우러져

몸을 다 드러내고 나타내 다 보이며

저마다 머금은 빛을 서로 비춰주나니……

78

치악일경(雉岳一景)
— 정휴선사에게

그 언제 어떤 대장장이가

쇳물을 부어서

일출사 부처님 조성

월출사에는 종을 달고……

한 억년

소식 없더니

치악에서 빗무리하데

80

부연 끝 아픈 인경이

물빛 닮은 산승(山僧)이요
산빛 닮은 절입니다

깊은 꿈 그 골 깊이
잠겨 드는 심상입니다

부연 끝 아픈 인경이
덜어지고 있습니다.

고향당 하루

하늘빛 들이비치는 고향당 누마루에
대오리로 엮어 만든 발을 드리우니
오늘 이 하루도 그냥 어른어른거린다.

비스듬히 걸린 벽화, 신선도 한 폭
늙은 사공은 노도(櫓棹)를 놓고 어주(漁舟)와 같이 흐르고
나는 또 어느 사이에 낙조가 되었다.

내가 죽어보는 날

부음을 받는 날은
내가 죽어보는 날이다

널 하나 짜서 그 속에 들어가 눈을 감고 죽은 이를
잠시 생각하다가
이날 평생 걸어왔던 그 길을
돌아보고 그 길에서 만났던 그 많은 사람
그 길에서 헤어졌던 그 많은 사람
나에게 돌을 던지는 사람
나에게 꽃을 던지는 사람
아직도 나를 따라다니는 사람
아직도 내 마음을 붙잡고 있는 사람
그 많은 얼굴들을 바라보다가

화장장 아궁이와 푸른 연기,
뼛가루도 뿌려본다.

불이문(不二門)

산 너머 놀 너머에
일월마저 겨운 저녁

머물던 하나 소망
그나마도 다 사위고

긴 여운 남기는 바람
열어놓은 내 가슴.

재 한 줌

어제, 그끄저께 영축산 다비장에서
오랜 도반을 한 줌 재로 흩뿌리고
누군가 훌쩍거리는 그 울음도 날려 보냈다.

거기, 길가에 버려진 듯 누운 부도(浮屠)
들에도 숨결이 있어 검버섯이 돋아났나
한참을 들여다보다가 그대로 내려왔다

언젠가 내 가고 나면 무엇이 남을 건가
어느 숲 눈먼 뻐꾸기 슬픔이라도 자아낼까
곰곰이 뒤돌아보니 내가 뿌린 재 한 줌뿐이네.

인생을 진공(眞空)에 부쳐

그 옛날 어느 학인(學人)이
살아 기신(己身) 하릴없어

해인사(海印寺) 일주문 위에
현판 하나 썼더란다

인생을 진공(眞空)에 부쳐
누가 붓을 잡으랴.

제자리걸음

마을 사람들은 해 떠오르는 쪽으로
중(僧)들은 해 지는 쪽으로
죽자 사자 걸어만 간다

한 발도
안 되는 한뉘
가도 가도 제자리
걸음인데

청학(靑鶴) - 暎虛선사

한 백년 님의 원을
황악(黃嶽)으로 두시고서

외로시면 날빛 한 자락
즐거시면 달 하늘을

천애(天涯)로 펼쳐진 나래
만법 넘어 가십니까.

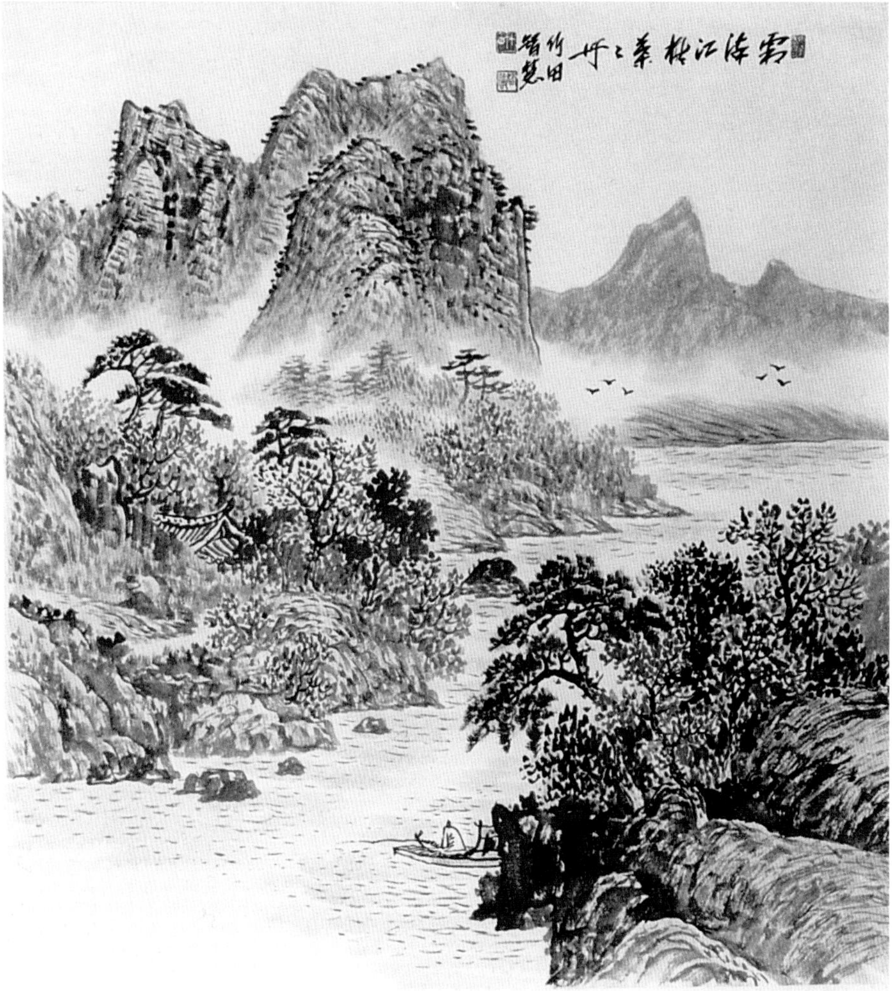

좌불(坐佛)

얼마나 무겁던가
자리하여 앉은 마음

연유는 말 없어도
해와 달 장등(長燈) 켜고

한 자락 청산을 지켜
꿈 밝혀 든 불두화(佛頭花)여.

베틀에 앉아

인간사 다 못하여
허리 펴는 날 없어도

한없이 거느린 애(哀)
이 세상을 끊고 갈 때

한 하늘 가득히 실은
흰 구름도 흩어지리.

100

한등(寒燈) - 白水선생

감감히 뻗어간 황악
하늘 밖에 가 잠기고

금릉 빈 들녘에
흩어진 갈대바람

구만 리 달 돋는 밤은
한등 하나 타더이다.

석등(石燈)

차운 돌 더운 손길
원 모아 불 밝히면

어둠 속 타는 숨결
솔바람도 잠이 들고

지새워 태산을 우는
나, 홀로여, 소쩍새여.

남산골 아이들

남산골 아이들은
흰 눈 덮인 겨울이 가면

십 리도 까마득한
산속으로 들어가서

멧새알 둥지를 안고
달빛 먹고 오더라.

雪中竹
竹日
留慕

106

대령(對嶺)

소한 대한 입춘도 갔으니 하마 풀릴 노염이련만
먼 하늘 풍설을 이고 소리 울 듯 준령이 섰다
마지막 나의 항거도 그처럼을 섰거라.

살아갈 이 생애가

차라리 외로량이면
둥글지나 마을 것을

닫은 문 산창(山窓) 가에
휘영청이 뜨는 마음

살아갈 이 한 생애가
이리 밝아 적막(寂寞)고나.

뱃사람의 말
— 무자화(無字話) 1

하늘에는 손바닥 하나 손가락은 다 문드러지고
이목구비도 없는 얼굴을 가리고서
흘리는 웃음기마저 걷어지르고 있는 거다.

된새바람의 말
― 무자화 2

걷어가고 있는 거다. 걷어가고 있는 거다. 때아닌
저 바다의 적조(赤潮), 그리고 또 포말들을
이 겨울밤의 마적(魔笛)이 걷어가고 있는 거다.

된마파람의 말
– 무자화 3

누가 건방지게 침묵을 하는 거다.

온몸이, 마른하늘이 흔들리는 이 혼질(昏窒)

이 한낮 깊은 내 오수를 흐너뜨리고 있는 거다.

뱃사람의 뗏말
— 무자화 4

백담사 무금당 뜰에
뿌리 없는 개살구나무들

개살구나무들에는
신물이 들대로 다 들어

그 한번 내립떠보는
내 눈의 좀다래끼

된바람의 말
– 무자화 5

서울 인사동 사거리
한 그루 키 큰 무영수(無影樹)

뿌리는 밤하늘로
가지들은 땅으로 뻗었다

오로지 떡잎 하나로
우주를 다 덮고 있다.

120

부처
– 무자화 6

강물도 없는 강물 흘러가고 있다
강물도 없는 강물 범람하고 있다
강물도 없는 강물에 떠내려가는 뗏목다리

바위 소리
− 일색변 1

무심한 한 덩이 바위도
바위 소리 들을라면

들어도 들어 올려도
끝내 들리지 않아야

그 물론 검버섯 같은 것이
거뭇거뭇 피어나야

124

고목 소리
－ 일색변 2

한 그루 늙은 나무도
고목 소리 들을라면

속은 으레껏 썩고
곧은 가지들은 다 부러져야

그 물론 굽은 등걸에
장독(杖毒)들도 남아 있어야

몰현금(沒絃琴) 한 줄
— 일색변 3

사내라고 다 장부 아니여

장부 소리 들을라면

몸은 들지 못해도

마음 하나는 다 놓았다 다 들어 올려야

그 물론 몰현금 한 줄은

그냥 탈 줄 알아야

128

시간론
− 일색변 4

여자라고 다 여자 아니여
여자 소리 들을라면

언제 어디서 봐도
거문고줄 같아야

그 물론 진겁(塵劫) 다하도록
기다리는 사람 있어야

130

사랑의 거리
– 일색변 5

사랑도 사랑 나름이지
정녕 사랑을 한다면

연연한 여울목에
돌다리 하나는 놓아야

그 물론 만나는 거리도
이승 저승쯤은 되어야

132

취모검(吹毛劍) 날 끝에서
– 일색변 6

놈이라고 다 중놈이냐
중놈 소리 들을라면

취모검 날 끝에서
그 몇 번은 죽어야

그 물론 손발톱 눈썹도
짓물러 다 빠져야.

말
ㅡ 일색변 7

세상은 산다고 하면
부황이라고 좀 들어야

장판지 아니라도
들기름은 거듭 먹여야

그 물론 담장 밖으로
내놓을 말도 좀 있어야

마음 하나
— 일색변 결구 8

그 옛날 천하장수가
천하를 다 들었다 놓아도

빛깔도 향기도
모양도 없는

그 마음 하나는 끝내
들지도 놓지도 못했다더라.

138

적멸을 위하여

삶의 즐거움 모르는 놈이
죽음의 즐거움을 알겠느냐

어차피 한 마리
기는 벌레가 아니더냐

이다음 숲에서 사는
새의 먹이로 가야겠다

오늘의 낙죽(烙竹)

추석달이 떠오르면 조개는 숨을 죽이고
물 위로 떠올라서 입을 쫙 벌리고서
달빛만 받아들인다 속살을 다 내어 보이고

142

인천만 낙조

그날 저녁은 유별나게 물이 붉다붉다 싶더니만
밀물 때나 썰물 때나 파도 위에 떠 살던
그 늙은 어부가 그만 다음 날은 보이지 않데.

바다

밝은 해 타는 구름은
모란으로 퍼 올리고

비바람 우레 천둥엔
출렁이는 세월의 물결

기러기 깃만 펼쳐도
마음 일렁이더라.

파도

밤늦도록 불경을 보다가
밤하늘을 바라보다가

먼바다 울음소리를
홀로 듣노라면

천경(千經) 그 만론(萬論)이 모두
바람에 이는 파도란다

솔밭을 울던 바람은

솔밭을 울던 바람은
솔밭이라 잠이 들고

대숲에 일던 바람은
대숲이라 순한 숨결

빈 하늘 가는 저 달도
허심하니 밝을 밖에.

150

숲

그렇게 살고 있다. 그렇게들 살아가고 있다.
산은 골을 만들어 물을 흐르게 하고
나무는 겉껍질 속에 벌레들을 기르며.

夏巒晴雲 作慧

152

일월(日月)

하늘은 저만큼 높고
바다는 이만큼 깊고

하루해 잠기는 수평
꽃구름이 물드는데

닫힐 듯 열리는 천문(天門)
아, 동녘 달이 또 돋는다.

154

쇠뿔에 걸린 어스름 달빛

어그러뜨리다 어그러뜨리다 어그러뜨리다
어스름 달밤 조개류 젓갈류 어스름 달밤 조개류 젓갈류
그렇다 찐 음식이나 오늘 저녁 고두밥이다

오후의 심경(心經)

노을빛 걷힌 천계(天界)
산그늘이 내리누나

여어히 앉은 산맥
그 너머에 잠긴 강물들

인생은 하나의 여로
지팡이도 무거워라.

어룽진 오후의 심경
흔들리는 심상의 날개

동천 그 종달이도 풀피리가 거두어 가고

이제는 한 장 하늘이
적공(寂空) 위에 걸렸다.

오늘

잉어도 피라미도 다 살았던 봇도랑

맑은 물 흘러들지 않고 디리운 물만 흘러들어

기세를 잡은 미꾸라지놈들

용트림할 만한 오늘

명일(明日)의 염(念)

무늬진 꽃구름을 넘나드는 그 여일(餘日)이
산과 들 물빛으로 놓고 가는 그늘이면
이 천지 적막의 땅이 어디엔들 안 열리리.

낙엽 진 영 너머로 일월이야 보내두고
본래 지닌 대로 노을에나 타다 보면
지친 발 이승의 길이 저승엔들 못 미치리.

학 앉은 높은 솔숲 청산조차 묻어둘걸
무삼일 가다 말고 열두 골을 밟는 달빛
다시 와 깊은 산창에 그림자를 놓는가.

출정(出定)

경칩, 개구리
그 한 마리가 그 울음으로

방안에 들앉아 있는
나를 불러 쌓더니

산과 들
얼붙은 푸나무들
어혈 다 풀었다 한다.

간간이 솔바람 불고

태산 그 지애(至愛) 앞에
일월등(日月燈) 밝혀놓고

만상(萬像)을 눈 감아도
뜨지 않는 가슴의 달아

간간이 솔바람 불고
소쩍새도 울다 가고

주말의 낙필(落筆)

지난 주말 한 노인이 하룻밤 쉬어가면서
세상은
곤충의 날개 표면 부챗살처럼
뻗어 있는 줄이라 한다
뜸쑥을 내 몸 경혈에
놓고

발그족한 배꼽

노망기(老妄記)

내 나이 예순에는
일흔이라는 이를 만나면
이제 죽을 일만 남은 노인이라고
어른 대접을 해주었는데

내 나이 여든이 된 요즈막
일흔이라는 이를 보면
아이 같아

버르장머리 없는
아이 같아

심월(心月)

층층이 드높은 뜨락
불 밝혀 든 연등 위에

또 하나 발돋움하여
사무치게 뜨는 심월

어둠도 길을 비끼며
이 한밤을 걷는다.

떡느릅나무의 달

그대는 잠자리 날개
하르르하르르한 실크 치마
나는 공작문채(孔雀文彩)
그대 몸의 사마귀

높이 떠 멀리 비추렴
높이 떠 멀리 비추렴

할미꽃

이른 봄 양지 밭에 나물 캐던 울 어머니
곱다시 다듬어도 검은 머리 희시더니
이제는 한 줌 흙으로 돌아가 서러움도 잠드시고.

이 봄 다 가도록 기다림에 지친 삶을
삼삼히 눈 감으면 떠오르는 임의 양자(樣子)
그 모정 잊었던 날의 아, 허리 굽은 꽃이여.

하늘 아래 손을 모아 씨앗처럼 받은 가난
긴긴날 배고픈들 그게 무슨 죄입니까
적막산 돌아온 봄을 고개 숙는 할미꽃.

죽을 일

살아서 죽을 일 없으면 그냥 뒈져야지
아니면 눈을 빼어 개에게나 주던가
그것도 영 어려우며 아주 미쳐버릴 일을.

나이 서른을 넘기고도 죽을 일 한 번 못 보고
밤이면 잠도 못 자게 까무러치게 하는 유령
이제는 이 죽을 일로도 죽어지지 않는다.

이내 몸

남산 위에 올라가 지는 해 바라보았더니

서울은 검붉은 물거품이 부걱부걱거리는 늪

이내 몸 그 늪의 개구리밥 한 잎에 붙은 좀거머리더라

달마(達摩) 1

서역 다 줘도 쳐다보지도 않고
그 오랜 화적질로 독살림을 하던 자가
이 세상 파장머리에 한 물건을 내놓았네.

달마 2

살아도 살아봐도 세간살이는 길몽도 없고
세업 그것까지 개평 다 떼이고
단 한 판 도리를 가도 거래할 눌주가 없네.

달마 3

바위 앞에 내어놓은 한 그릇 제석거리를
눈으로 다 집어 먹고 시방세계를 다 게워내도
아무도 보지 못하네. 돌아보고 입덧을 하네.

달마 4

한 그루 목숨을 켜는 날이 선 바람소리
선명한 그 자리의 끊어진 소식으로
행인은 길을 묻는데 일원상을 그리네

188

달마 5

매일 쓰다듬어도 수염은 자라지 않고
하늘은 너무 맑아 염색을 하고 있네
한 소식 달빛을 잡은 손발톱은 다 물러빠지고 .

190

달마 6

다 끝난 살림살이의 빚 물리는 먼 기별에
단벌 그 목숨도 두 어깨에 무거운데
세상길 가로막고서 타방으로 도망가네.

192

달마 7

그 순한 초벌구이의 단단한 토질에
먹으로 찍어 그린 대가 살아남이여
그 맑은 잔잔한 물결을 거슬러 타고 가네.

194

달마 8

감아도 머리를 감아도 비듬은 씻기지 않고
삶은 간지러워 손톱으로 긁고 있네
그 자국 지나간 자리 부스럼만 짙었네.

달마 9

아무리 부릅떠도 뜨여지지 않는 도신(刀身)의 눈
그 언제 박힌 명씨 한 세계도 보지 못하고
다 죽은 세상이라고 상문(喪門)풀이 하고 있네.

198

달마 10

흙바람 먼지도 없는 강진을 일으켜놓고
한 생각 화재뢰(火災雷)로 천지간을 다 울렸어도
달밤의 개 짖는 소리에 이빨 나 빠졌구나

200

앵화(櫻花)

어린 날 내 이름은
개똥밭의 개살구나무

벌 나비 질탕한 봄도
꽃인 줄을 모르다가

담 넘어 순이 가던 날
피 붉은 줄 알았네.

사랑의 물마

사랑은 잎바늘이나 원숭이 해 잎덩쿨손이다
웅문거벽(雄文巨擘) 아니다
곰의 쓸개도 아니다
사랑은 이자는 포기하고
원금만 받는 금리다

어간대청의 문답(問答)

오늘 아침 화곡동 미화원
김씨가 찾아와서
쇠똥구리 한 마리가
지구를 움직이는 것을 보았느냐고 묻는다

나뭇잎 다 떨어져서
춥고 배고프다 했다

206

궁궐의 바깥 뜰

양지바른 언덕에 대궐로 통하는 길이 있고
탕약 짤 때 약수건을 비트는 막대기가 있다
허지만
잎담배 한냥쭝을 파는
가게는 그곳에 없다

삶에는 해갈(解渴)이 없습니다
― 황동규 시인의 시 〈사라지는 것들〉에 대한 동문서답

앞들 열두배미의 논 물갈이하는 날
삶의 끄트러기는 넉걸이 끝물 덩굴
잘못 산 내 모습 같아 서둘러 걷어내었다

논두렁도 봇도랑도 구불구불 흘러가고
쟁기날이 나도 함께 갈아엎은 무논바닥
멍에 목 어루만지면 써레질로 저문 하루

사람이나 짐승이나 허연 거품 무는 것은
모종내고 무넘기고 한숨 돌릴라치면
그 사이 해갈의 몸에 상처 같은 엉그름

210

사랑

사랑은 넝쿨손입니다

철골 철근 콘크리트 담벼락

그 밑으로 흐르는

오염의 띠 죽음의 띠

시뻘건 쇳물

녹물을

빨아먹고 세상을 한꺼번에 다

끌어안고 사는 푸른 이파리입니다

잎덩굴손입니다

사랑은 말이 아니라

생명의 뿌리입니다

이름 지을 수도 모양 그릴 수도 없는

마음의

잎넝쿨손입니다

떼찔레꽃 턱잎입니다

굴참나무 떡잎입니다

빛의 파문
－ 몰상량(沒商量)의 서설(序說)

하늘도 없는 하늘 말문을 닫아놓고
빗돌에서 걸어 나와 오늘 아침 죽은 남자
여자도 죽은 서 여사도 빗돌에서 니왔는가.

파아란 빛깔이다. 노오란 빛깔이다.
빠알간 빛깔이다. 시커먼 빛깔이다.
보석도 천 개의 보석도 놓지 못할 빛깔이다.

무수한 죽음 속에 빛깔들이 가고 있다.
삶이 따라가면 까무러치게 하는 그것,
내 잠을 빼앗고 사는 유령, 유령들이다.

214

춤 그리고 법뢰(法雷)

죽음이 바스락바스락 밟히는 늦가을 오후
개울물 반석에 앉아 이마를 짚어본다
어머니 가신 후로는 듣지 못한 디딤잇소리

216

숨 돌리기 위하여

땅이 걸어서 무엇을 심어도 좋은 밭
쟁기로 갈아엎고 고랑을 만들고 있다
나처럼 한물간 넝쿨은 걷어내고

이제는 정치판도
갈아엎어야
숨 돌리기 위하여

218

나의 삶

내 평생 찾아다닌
것은
선(禪)의 바닥줄
시(詩)의 바닥줄이었다.

오늘 얻은 결론은
시는 나무의 점박이결이요
선은 나무의 곧은결이었다.

220

천심(天心)

조실스님 상당(上堂)을 앞두고
법고를 두드리는데

예닐곱 살 된 아이가
귀를 막고 듣더니만

내 손을
가만히 잡고
천둥소리 들린다 한다.

염원

진흙덩이 뚫고 나온 난생이 잎입니다
갈증에 목이 몰아 시들어버리기 전에
목숨의 계류(溪流)를 끼고 살게 하어 주세요.

스스로 못 자라는 나약한 줄깁니다
가쁜 숨 몰아쉬면 향기로운 내음 일고
벌이 와 잉잉거려도 웃게 하여 주세요.

상념은 맴을 돌고 업은 짙어옵니다
우화(羽化)할 번데기처럼 허물 다 벗기도록
무심한 수양 그늘에 몸을 씻어주세요.

내가 쓴 서체를 보니

지난날 내가 쓴 반흘림 서체를 보니
적당히 살아온 무슨 죄적만 같구나
붓대를 던져버리고
잠이나 잘걸 그랬던가.

이날토록 아린 가슴을 갈아놓은 피의 먹물
만지(滿紙), 하늘 펼쳐놓자 역천(逆天)인가 온몸이 떨려
바로 쓴 생각조차도 짓이기고 말다니!

너와 나의 절규

어린 나의 발걸음 헛기침 소리에도
피라미들이 물 위로 뛰어오르던 계류
어디로 다 흘러갔을까 불똥 같은 게 한 마리

내일은 또 어느 하늘가

내 삶은 철새런가
철을 좇아 옮아앉는

어젯날 산에서 울고
오늘은 창해(滄海)에 떴네

내일은 또 어느 하늘가
아픈 깃을 떨굴꼬.

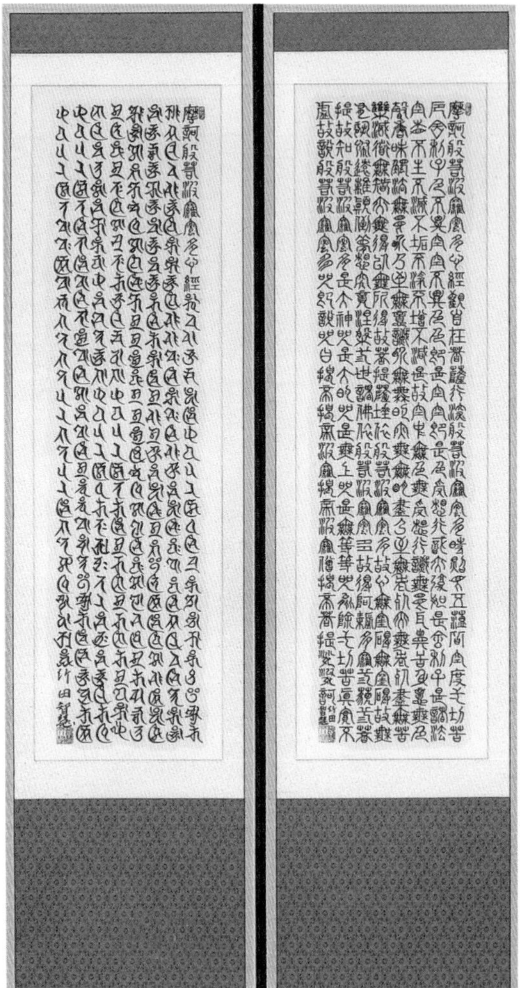

시자(侍者)에게

지금껏 씨떠버린 말 그 모두 허튼소리
비로소 입 여는 거다, 흙도 돌도 밟지 말게.
이 몸은 놋쇠를 먹고 화탕(火湯) 속에 있도다.

출세간에서 맺은 법연의 향기

책상 위에 사진 한 장이 있다. 설악산문 조실 무산(霧山) 스님과 명주사 주지 지혜(智慧) 스님. 배경을 보니 신흥사 뒤편에 있는 고암(古庵) 노스님 부도 앞이다. 언제쯤인가는 가늠이 잘 되지 않는다. 얼굴이나 옷을 보면 한 10여 년 전 어느 날이 아니었을까 싶다. 왜 여기서 사진을 찍었는지 모르겠다. 표정은 지혜 스님이 '사형님 저랑 사진 한 장 찍읍시다' 하고 이끌자 무산 스님은 '응, 그러지 뭐' 하고 나란히 서 있는 모습이다. 러시아 인형 마트료시카처럼 한 분은 조금 크고 또 한 분은 그 속에 든 작은 인형처럼 판박이다.

두 분은 그런 사이다. 오랫동안 지켜본 바로는 사제는 사형을 누구보다 존경했고, 사형은 사제를 누구보다 아꼈다. 아는 사람은 알지만 두 분은 고집도 세고 개성도 아주 강하다. 수행자치고 그러하지 않은 사람이 있으랴만 두 분은 특히 남다른 데가 있다. 어느 정도인가 하면 제불조사(諸佛祖師)가 와도 머리를 숙이지 않을 기세다. 목에 칼이 들어와도 아닌 건 아니라고 하는 고집도 흡사하다. 그러나 한번 마음을 주면 좀처럼 거둘 줄 모른다. 서로 존경하고 아끼는 마음이 그렇다. 세납으로도 큰형과 막내만큼 차이가 나지만 무산 스님은 막내의 어리광을 받아주었고 지혜 스님은 장형의 권위에 복종했다.

두 분이 이런 관계를 이어온 데는 그럴 만한 사연이 있다. 무엇보다 두 분은 설악산의 중흥조인 정호당(晶湖堂) 성준(聲準) 화상의 법자이다. 그러나 이것만으로는 그 관계를 다 설

명할 수 없다. 성준 화상 밑에는 여러 사형 사제들이 있다. 두 분은 그 사형 사제들과도 무람없이 잘 지낸다. 그럼에도 두 분만이 달리 통하는 것은 두 가지 공통점 때문일 것이다. 하나는 동진(童眞)으로 출가하였다는 것이고, 또 하나는 출가자로서는 드물게 예술에 마음을 두었다는 것이다. 무산 스님은 다른 자리에서 여러 차례 밝힌 대로 '열두 살에 절간 소머슴'으로 입도한 분이다. 지혜 스님도 열 살 전후로 동진출가를 했다. 절집에서는 동진출가를 큰 복으로 간주한다. 세속의 먼지에 때 묻기 전에 부처님 품에서 착하게 산다면 얼마나 훌륭한 일이겠느냐는 것이다. 이산교연(怡山皎然) 선사의 발원문에 그런 염원이 들어 있다.

날 적마다 좋은 국토 밝은 스승 만나오며　　生逢中國 長遇明師

바른 신심 굳게 세워 아이로서 출가하여　　正信出家 童眞入道

귀와 눈이 총명하고 말과 뜻이 진실하며　　六根通利 三業純化

세상일에 물 안 들고 청정범행 닦으리다　　不染世緣 常修梵行

그러나 아무리 수승한 인연으로 동진으로 절에 왔다 하더라도 일찍 부모와 떨어진 외로움이 얼마나 크겠는가. 어쩌면 그래서 예로부터 동진으로 출가한 스님들이 시문에 능했는지 모른다. 역대로 좋은 선시를 남긴 진각혜심(眞覺慧諶)이나 청허휴정(淸虛休靜)처럼 무산 스님이나 지혜 스님이 문학이나 그림에서 일가를 이룬 것은 우연이 아니다. 모르긴 해도 그래서 두 분은 서로를 더 가슴에 담고 살았을 것이다.

이 시화일률집(詩畵一律集)은 사제 지혜 스님이 지난해 입적한 사형 무산 스님을 그리워하며 출세간에서 맺은 법연의 향기를 세간에 회향하고자 간행하는 것이다. 두 분이 보여주는 시와 그림의 경지는 눈먼 속한(俗漢)으로서는 말할 처지가 아니다. 다만 두 분의 아름다운 인연을 후경으로 놓고 시화(詩畵)를 감상하다 보면 무산 스님의 시에서는 먼바다의 파도 소리를 들은 듯 가슴이 시원해지고, 지혜 스님의 그림에서는 봄날 꽃밭을 본 듯 눈이 맑아지는 듯한 심정을 토설하지 않을 수 없다.

오래전부터 두 분을 가까이서 뵌 인연을 빌미로 절집 부목 주제를 불구하고 본 대로 들은 대로의 뒷얘기를 외람되게 적어 시화집 발간의 소이연(所以然)을 밝혀둔다.

홍사성(불교평론 주간)

234

설악무산·적광지혜 시화일률집

말한 바 없이 말하고 듣는 바 없이 듣다

초판 1쇄 발행 : 2019년 4월 15일

재판 1쇄 발행 : 2023년 3월 20일

지은이 : 설악무산 · 적광지혜

펴낸이 : 김향숙

펴낸곳 : 인북스

연락처 : 031) 924-7402

....

강원도 속초시 설악산로 1137

대한불교조계종 제3교구 본사 설악산 신흥사

연락처 : 033) 636-7044

ISBN 978-89-89449-67-6 03650

값 20,000원